十年屋与魔法街的朋友们 2

［日］广岛玲子 ◎ 著
［日］佐竹美保 ◎ 绘

任兆文 ◎ 译

改造屋

北京教育出版社
童书

引子

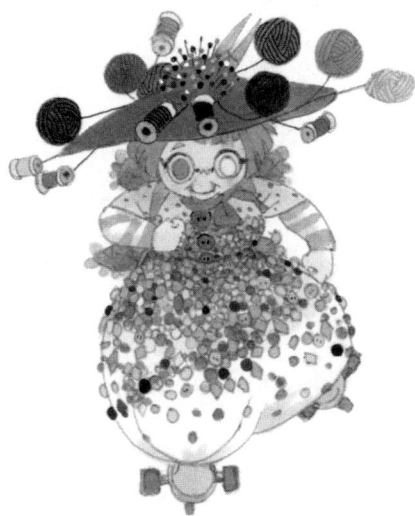

咦，你似乎带着一样你不再需要的东西。

不如把它送给我吧，你意下如何？

当然，你可以带走我店里的任何一样东西来跟我交换，什么都可以。

这枚戒指，或是那个银烛台。你瞧，这个收纳盒也很不错吧？

不，不，我没有开玩笑。我是真心想和你交换。

嗯？你问我为什么想要你不需要的东西？

当然是因为喜欢。我呀，最喜欢把你们不需要的东西改造成精美的商品了。

没错，我会改造它们。我这里是"改造屋"。

1 花团锦簇的餐具

"今天一定要整理杂物间！"

再次下定决心后，加奈在杂物间门前站定。

她今天一定要把这个杂物间整理干净。在过去的三十年里，加奈总是把占地方、用不着的东西堆进杂物间，却从来没有好好整理过。现在她根本不知道杂物间里是什么样子，都放了哪些东西，只要一想到它就觉得头痛不已。

她一直不想行动，总是一拖再拖，但今天无论如何都要整理完。天气正好，微风阵阵，十分舒服。今天再不整理，更待何时？

加奈挽起袖子，打开了杂物间的门。

里面果然乱七八糟的。她之前总是想着"以后再整理"，于是不断往杂物间里放东西。箱子、工具堆得一层又一层，还积了不少灰尘。

加奈的心情变得有些颓丧，但她还是把面前的箱子一个个搬出去，一一查看里面的东西。

"喀喀！喀喀喀！灰尘好多……哇，好怀念哪！这是希里送给我的唱片。啊，相册原来在这里！哎呀，这不是孩子的玩具吗？我想起来了，它坏掉了，我说过会找时间修好的，没想到竟随手放在这里了……这里为什么会有树桩？绝对是我家那位放进来的，他打算用它做什么呢？"

满载回忆的东西、早已损坏的东西、不再需要的东西……一个接一个被搬了出来。

加奈一一查看，把这些东西分成两类：需要扔掉的和还须珍藏的。然而，大多数是需要扔掉的，转眼它们就堆成了一座小山。

"咦，这个箱子里装了什么？"

加奈发现了一个大木箱。箱子很重，她费了好大劲儿才把箱子拖出来。

她打开箱子，发现里面的每样东西都用白纸仔细地包着：四个汤盘、四个面包盘、两个主餐盘，还有一个牛奶壶——是一套精美的餐具。

每件餐具上都绘有各种各样盛开的花朵图案，比如大丽菊、蔷薇、牡丹、风信子和鸢尾花等。每种花都被描绘得栩栩如生，就像真正的花朵在盘子上绽放。

加奈不由得发出了一声感叹：

"啊，原来在这里……"

这套餐具颇有历史。这是三十三年前加奈和丈夫结婚时，阿姨送给他们的新婚礼物。加奈刚收到这套餐具时惊喜万分，连连赞叹它的华美，然而……

加奈很快便发现这套餐具非常不实用。由于盘子的颜色和图案过于鲜艳、华丽，盛在里面的食物反而被衬得寡淡无味。

烤鱼盛在盘子里就像隐没在花丛中一般。加奈和丈夫看到这样的情形，顿时食欲全无。

因此，加奈只用过这套餐具一两次，便再也不想用了。她把餐具收回箱子里，就这样封存在了杂物间。

此刻，加奈看着这套被遗忘多年的餐具，再次大伤脑筋。

我不想要了，真的不想要了，我绝对不会再用它们。可是，我虽然很想扔掉它们，但这毕竟是新婚礼物，就这么扔了实在可惜。干脆让它们继续在杂物间里睡大觉好了。

"不过……要是没有这个箱子，杂物间就能腾出不少空间了。"

加奈叹着气，打算先把箱子移到一旁。就在这时，她发现杂物间的深处多了一扇门。

"这个地方怎么会有门呢？"

加奈感到非常不可思议。

杂物间的门就在加奈现在站着的地方。她从不记得自己家的杂物间有两扇门。

而且，那扇门的形状也很奇怪，像是仿照圆形纽扣的样子做成的。门的颜色是漂亮的桃粉色，门上有四个圆形的纽扣，里面镶嵌着四幅小小的圆形玻璃彩画，分别画着毛线球、针、剪刀和线轴的图案。

真奇怪，这简直太不寻常了。

加奈感到不可思议，很想打开这扇门。

"打开门看看吧！快点儿，快点儿。"

纽扣形状的门似乎发出了催促声。

加奈如坠梦境，恍惚地向前走去。她绕开碍事的箱子和摇椅，走到了那扇门的前面。

她握住门把手，用力向前一推……

丁零零零！

一阵悦耳的铃声响起，门轻轻地打开了。

杂物间的那边应该是庭院才对呀。加奈心想。

可出现在加奈面前的却是一个宽敞的房间。房间里到处都是桌子和架子，上面还摆着数不清的小东西，有各式各样的饰品、花瓶、玩偶、八音盒，还有时髦的包包和帽子……

总之，放眼望去，这里全是又可爱又漂亮的东西。

看样子，这是一家商店，但每件东西都没有价格标签。

"这真是个神奇的地方。"

加奈又往前走了几步，四处看了看。

墙上的几扇窗户也设计成了纽扣的形状。玻璃窗外天色昏暗，一条安静的街道在薄薄的雾气中若隐若现。加奈看到了一排砖墙建筑，想来这家店应该在某条小巷中。

加奈有种来到了异世界般的不可思议之感，她有些紧张。

要不我还是回去吧？回到杂物间去，把纽扣门关上。

就在加奈犹豫不决时，她突然听到了一声招呼：

"欢迎光临！"

这声音洪亮而饱满，加奈吓得跳了起来。

加奈抬头一看，发现一位老婆婆从一旁的柜台里走了出来。

老婆婆留着一头亮粉色的短发，戴着一副眼镜，镜片和酒瓶底一样厚。这打扮已经够特别了，可是，她还戴着一顶帽檐宽大的、非同寻常的帽子——帽子的顶部像针垫一样插着无数根针，四周装饰着剪刀、线轴和毛线球。她的连衣裙上则缝着大大小小的纽扣，纽扣密密麻麻的，多到已经看不清裙子本身的颜色了。

加奈惊讶得说不出话。她今年五十八岁了，已经结婚三十多年了。在孩子面前，她一直是个胆大的母亲，自认为人生阅历丰富，可遇到这么不可思议、稀奇古怪的老婆婆却还是第一次。

老婆婆对大吃一惊的加奈露出微笑。

"女士，欢迎来到改造屋。我本想先让你在店内好好参观一番，但你的需求似乎是改造东西。"

"嗯？什……什么？"

"先不管这些，你想改造的东西是什么？给我看一看吧。"

说完，老婆婆用力拍了拍手掌。

声音未落，装着那套华美餐具的木箱已然出现在两人的脚边。

加奈终于意识到这是魔法。

对，在刚才那扇纽扣门出现时，我就该想到的。这是魔法，这位老婆婆就是魔法师！

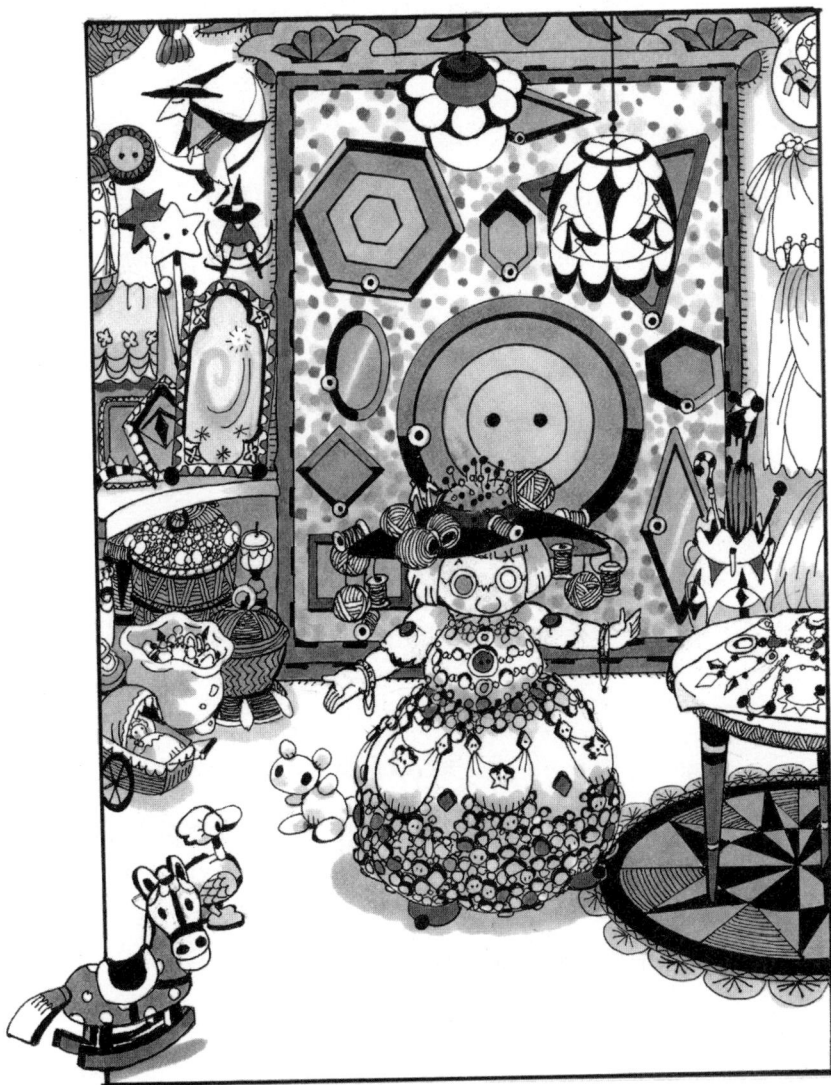

这时，老婆婆已经打开箱子，利落地将里面的餐具一个个取了出来。

"原来如此，真是好东西。从上色来看，它们一定出自技艺精湛的匠人之手。我很喜欢它们的颜色，但装上食物，盘子的颜色就会显得过于花哨，不太实用了。"

"是……是的，所以这套餐具一直闲置着。"

"但是，你又不想把它们扔掉。"

"嗯，这毕竟是阿姨送给我的新婚礼物。"

"那确实不能扔掉，"老婆婆自顾自地点了点头，"那么，让我来改造它们吧。"

"改造？您是说，改造这套餐具？"

"没错。我叫都留，是一名改造魔法师。我会把这些你无法舍弃，却又派不上用场的餐具改造成你喜欢的东西，但是……"

都留顿了一下，脸上的表情也变得严肃起来。

"我需要报酬。我说的报酬并不是金钱，而是你不需要的、想要扔掉的东西。只要你把这样的东西给我，我们就成交。"

加奈愣在原地，眨了眨眼。

我不需要的、想要扔掉的东西是什么呢？

"您指的究竟是什么呢？"

"你不需要想得那么复杂，总之，我想要的就是你眼中的垃圾、废品。不过，我先提醒你一下，生活垃圾可不行。那么，你会给我什么呢？"

都留目不转睛地盯着加奈。她的眼睛亮晶晶的，渴望的眼神就像等着收礼物的小孩子一样。

加奈有些苦恼。

说实话，她并不明白都留的意思，改造这套餐具是什么意思呢？但现在要是婉拒都留，说不定会惹她生气。惹怒魔法师的后果，加奈不敢想象。

现在按照都留说的去做才是上策。不如把都留想要的东西给她，让她改造餐具，然后我就能赶紧回家了。

这时，加奈的脑海里突然浮现出了杂物间的样子。

对了，杂物间里有那么多闲置的东西，从里面挑出一样送给都留不就好了吗？

于是，加奈对都留说了声"稍等片刻"，就穿过纽扣门回到了杂物间。她拿起最先看到的一样东西。

那是一个坏掉的木马玩具。一根长长的木棍顶端有一个木制的马头，孩子可以骑在棍子上玩耍。

加奈想起这是她在儿子纳达小时候给他买的玩具，纳达当时非常喜欢，每天都要骑在上面玩耍一番。他总是一边抚摸着小马那用毛线制成的鬃毛，一边孩子气地说："我的爱马呀。"

然而，这已经是很多年前的事了。如今这个木马看上去十分破旧，木棍从中间断开了，表面的颜料已经脱落，鬃毛也凌乱不堪。

"有一次纳达骑在上面玩的时候，木棍突然折断了。我当时答应要给他修好的……第二年纳达过生日时，他的哥哥送给他一个新的木马，我就把这个旧木马随手放在了杂物间……"

虽然这个木马玩具满是纳达的童年回忆，但它已经坏了，只能扔掉了。这个木马应该符合都留的要求吧？

不管怎样，先把它带过去试试看吧。

"都留女士，嗯……您看看这个东西您想要吗？"

加奈战战兢兢地将坏掉的木马递给都留，没想到都留看到木马，一下子笑逐颜开。

"这个太棒了！嗯，很好！真不错！我正好想要个与马有关的东西。不错，不错，我们成交了。"

都留小心翼翼地捧着木马进了商店的里间。片刻后，都留回到加奈跟前，仔细端详着她的脸。

"现在轮到我来实现你的愿望了。你有喜欢的东西吗？有什么兴趣爱好吗？"

"这个，我……"

"哎呀，不要想得那么复杂嘛。你随便说说。"

"我……我喜欢园艺。"

"哎呀，是吗？"

"是的，我很喜欢花，但我养花的技术不怎么样，总是把花养枯萎。"

加奈想起来了。当年阿姨送她这套餐具时曾说过：

"因为你喜欢花，我才选了这套餐具送给你。"

都留看着似乎又想起了一桩往事的加奈，露出了灿烂的笑容。

"你喜欢花呀，真的很不错。好的，我有灵感了。我现在就为你进行改造。请你稍微往后退几步。对，对，退到那边就可以了。"

加奈站定之后，魔法师都留张开双手，唱起了一首奇妙的歌曲。

松叶、荨麻、黑蔷薇，

针之守护者，来我身边。

木贼、鼠曲草、鸡眼草，

听我召唤，速速聚集。

重新编织旧日之记忆，

面向未来为他创作。

让毁坏之物重获新生，

如同谱写一首新歌。

啪的一下，一道金色的光束出现了。温暖而柔和的金光渐渐笼罩住这套餐具。

与此同时，都留帽子上的剪刀、线轴和针都升到了半空中，开始像跳舞一样晃来晃去。纱线散发出美丽的宛若绸缎般的光泽；剪刀的咔嚓声富有节奏感，仿佛在为其他工具伴奏……

都留帽子上的工具在光束周围持续舞动了一会儿后，再度飞回到她的帽子上。那束金光也渐渐暗淡下来，不久后便消失了。

面前发生的一切让加奈眼花缭乱。餐具消失不见了，取而代之的是一个她从来没见过的东西：一个盆栽。

白陶质地的半球形花盆里面，盛开着许多漂亮的花。

大丽菊、蔷薇、牡丹、风信子、鸢尾花……五彩缤纷的花朵争奇斗艳，淡淡的花香沁人心脾。加奈目不转睛地盯着这些花，陶醉于色彩与香气之中。

都留一脸得意地将盆栽拿了起来，递给加奈。

"看看，我改造的东西怎么样？"

"这……这……这真是用那套餐具改造的吗？"

"当然了。真不愧是优秀匠人做的餐具，改造出来的花开得真漂亮。不过，最重要的还是这个盆栽承载了送礼人的美好心意。"

"什么？"

"送礼人希望你能永远被美丽的花朵包围。正因为有了这份美好的心意，我才能把它改造成这么漂亮的盆栽。"

"难道不是因为您的魔法吗？"

"这当然也离不开我高超的魔法。不过，我虽然是魔法师，但是施魔法也得依赖人们的心意。"

"……"

"只要你细心照料这个盆栽，并且铭记你阿姨的心意，盆栽里的花就绝对不会枯萎。"

"我记住了，谢谢您。"

"我才要感谢你呢。多亏了你，我才能做这么有成就感的事，真高兴啊！来，请收下这个盆栽吧！"

加奈回想起阿姨送给自己这套餐具时温暖的笑容，便郑重地伸出双手，接过盆栽。

当她回过神时，她发现自己正站在自家杂物间的门口。她朝杂物间里看了看，纽扣门已经消失得无影无踪了。

从此以后，加奈再也没去过改造屋，再没见过那扇纽扣门，也不曾再见到那位拥有神奇魔力的魔法师都留。

但是，加奈带回来的盆栽一直长得很好。盆栽里的花朵始终开得那么鲜艳、那么瑰丽。

2

梦想之门

德久今年四十六岁，是一名小学老师，跟妻子和孩子一起住在一间小小的公寓里。德久和妻子感情很好，几乎无话不谈。

不过，德久有一个守护了二十多年的秘密，一直没有对妻子说。

那就是：他藏了一扇门。

那是一扇表面刷着焦糖色油漆的门，造型大气，给人一种庄重深沉的感觉，一看便知它历史悠久。整扇门都雕刻着精巧的图案，钥匙孔里插着一把装饰着狮子头的黄铜钥匙，看上去气派极了。

这扇门原本是市里经营时间最久的酒店的大门。当年，德久听说酒店要被拆除，就从酒店要来了这扇门。

德久一直梦想着有朝一日能建造一栋属于自己的

房子。他希望在新居装上这扇门，作为礼物送给妻子。

他悄悄把这扇门运回公寓，并拜托房东保管在公寓的地下室里。

然而，现实是残酷的。两个孩子相继出生，德久的工资却多年未涨。他的收入只够负担家庭的日常花销，根本没有余钱存起来盖房子。

尽管如此，德久一直没有放弃自己的梦想。

总有一天，他要建成属于自己的房子。

因此，德久时不时就要去公寓的地下室，摸摸藏起来的那扇门，告诉自己不能轻言放弃。

一天，德久难得有空去了一趟地下室。因为工作繁忙，他已经一年多没来了。一想到即将看到那扇门，德久的心激动得怦怦直跳。

地下室被房东放进来的杂七杂八的物品塞得满满当当，有发霉的沙发、坏掉的暖炉、不知道谁留下的画技拙劣的油画，还有成捆的杂志……

德久的那扇门则被房东靠墙竖放在地下室的最

里面。

德久向地下室尽头看了一眼，顿时脸色铁青——他一直珍视的门上竟出现了一道很深的裂痕。

"怎……怎么会这样？！"

德久赶快跑了过去。

他的手刚碰到门，门表面的油漆就哗啦啦地脱落了好几块。看来是地下室空气不流通导致的。再坚固的门，长期放在地下室里也总有坏掉的一天。

德久仔细查看，发现门上满是大大小小的裂痕，让人触目惊心。自己一直珍藏着的门，以后再也派不上用场了。

德久感觉自己的梦想也出现了裂痕，碎成了一片一片。他禁不住流下了眼泪。

我不能哭，不值得为这种事哭，不过就是一扇门坏掉了而已。

德久试着宽慰自己，但眼泪依然扑簌簌地往下掉。

他很难过，再也不想看到这扇门了。于是，他沿着地下室的楼梯向上跑去，一把拉开了通往外面的门。

这扇门应该通往公寓的后院才对，然而……

德久踏进了一个他此前从未见过的房间。

这里与其说是房间，不如说是一家小店。亮闪闪的饰品、可爱的小摆件、时尚的包包和帽子……真可谓琳琅满目。就连对这些东西不感兴趣的德久，也一瞬间被迷住了。

不对，不对，这些东西与我无关。我怎么来到了这里？我明明走出地下室了呀。

德久转头一看，才发现自己拉开的是一扇桃粉色的纽扣形状的门。他记得地下室的门是绿色的，还有些褪色，形状也是普普通通的长方形。

"这是怎么回事？"

正当德久目瞪口呆时，一声突然响起的"欢迎光临！"拉回了他的思绪。

德久被吓了一跳，他面前突然出现了一位穿着打扮十分怪异的老婆婆。

她的连衣裙上缝着无数的纽扣，就像鳞片一样闪闪发光；她头戴一顶大大的帽子，帽顶上插着针，帽檐上装饰着毛线球、线轴和剪刀；她戴着一副眼镜，厚厚的镜片下，一双大眼睛闪烁着光芒；她甚至还留着一头亮粉色的短发。总之，她整个人看上去与"普通"二字相去甚远。

老婆婆目不转睛地盯着德久，对他笑道：

"啊，原来如此，你是想要改造物品的客人哪。恕我有失远迎。那么，你想改造什么？我想立刻开始干活儿。"

老婆婆一连串的话让德久一头雾水，他根本不知道该回答些什么。

"您……您在说什么？"

德久好不容易才反问一句。

老婆婆又笑了。

"你问我在说什么？我说我要改造东西，我的店就是专门改造东西的……你一定有非常珍视的东西吧？你一直很爱惜它，但它坏掉了，不能用了。我可以改造它，为它赋予新的形态，这就是我要做的生意。"

听了老婆婆的话，德久的脑海里立刻浮现出那扇门的形象。说到自己珍视却又不能使用的东西，他首先想到的就是那扇门。

没想到就在这时，那扇门竟然无声无息地出现在了德久和老婆婆旁边。

德久此时的心情，比起惊讶，不如说是心痛更多一点儿。门上严重的裂痕与脱落的油漆，让它显得非常破旧，在明亮的商店里更是被衬得惨不忍睹。德久心有不忍，移开了视线。

老婆婆却露出了欣喜的神情。

"哈哈，不错，真是上等货色，凝聚了很多感情。看来你真的很珍视这扇门。既然如此，不妨和我讲讲这扇门的由来。想改造出好东西，好的故事可是不可或缺的。"

于是，德久将这扇门的故事一五一十地告诉了老婆婆：他想要建一栋属于自己的房子的事；二十多年前瞒着家人从酒店要回这扇门，打算用在以后建的房子上的事；他十分珍视这扇门，并把它作为梦想寄托的事……

"我真是个笨蛋，竟然只准备了一扇门，还守着它，藏着它，最后却让它平白放坏了。早知如此，我还不如早点儿把它处理掉。"

老婆婆看着自责的德久，一脸认真地说：

"我可不这么认为。"

"嗯？"

"它曾经承载着你的梦想。谁能轻易处理掉支撑着自己梦想的东西？……不过，我已经明白你的心情了。我想，这扇门只能改造成那样东西了。我已经迫不及待要开始了！"

德久认真地看着兴奋的老婆婆，问道：

"用这扇门真的能改造成新的东西吗？"

"当然可以。我不是说过我的店就是专门做这种事的吗？不过，我要收取报酬。"

德久点头同意了。

这扇门破成这个样子，也只能扔掉了。如果能将它改造成新的东西留在世上，总比扔了好。不管怎么说，它承载了我二十多年的梦想，为它花点儿钱也不算什么。

老婆婆却告诉德久，他不需要花钱。

"给我一样你不需要的、想要扔掉的东西。这就是报酬。"

为什么她想要这种东西呢？德久歪着头陷入沉思。突然，他灵光一闪，想起了一样东西。

就在他想到那样东西的同时，他感觉自己的手心里沉甸甸的。

德久预感手里攥着的应该就是那样东西，于是他摊开双手。

果然，刚才脑海里浮现的东西，现在就在他的手上。那是一把很大的铜钥匙，上面装饰着一个戴着王冠的狮子头。

是这扇门的钥匙。他从酒店要来这扇门时，对方连钥匙一起给了他。既然这扇门要改造成其他东西了，那这把钥匙也就没用了。

"这个可以吗？"

德久将钥匙递了过去，老婆婆喜出望外地说：

"是国王啊！不错，不错，正是我想要的东西！啊，真是太棒了！"

"那……那可以用这把钥匙拜托您为我改造吗？"

"当然没问题，我立刻开始。"

老婆婆像孩子般兴高采烈地收下钥匙后，胸有成竹地对德久说："我已经想出了一样完美的东西。请放心交给我吧！"

随后，老婆婆唱起了一首歌。

这是一首神奇的歌。每句歌词都暗藏着魔力。

魔力！

是的，这是魔法，而老婆婆就是魔法师。

现在，她正在给这扇门施魔法。

伴着歌声，门被光芒笼罩。老婆婆帽子上的针、剪刀、线轴和毛线球飞到空中，像跳舞一样晃来晃去，好像被一双看不见的手操纵着。

德久切身感受到了其中蕴藏着的热情洋溢却又静谧平和的魔力。

不久，歌声停止了。针、剪刀、线轴和毛线球也

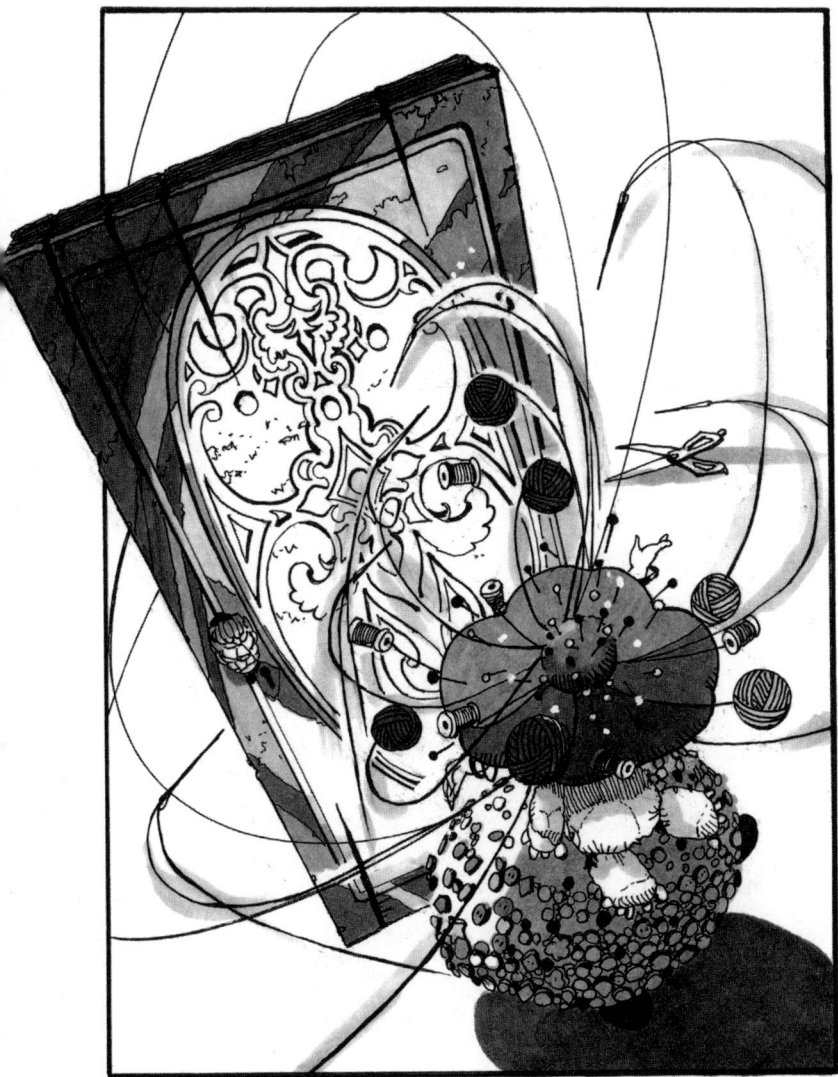

回到了魔法师的帽子上。

当光芒消失时，一个巨大的房屋模型取代了原先的门。

这是一个非常精美的木制房屋模型。房屋有两层，屋顶是酒红色的，外墙是柔和的奶油色。一层有一个带屋顶的宽阔阳台，二层有一个露台。屋顶上装有烟囱，看来房子里肯定有个漂亮的壁炉。

德久倒吸一口气。

"这……这是……"

"怎么样？你喜欢吗？"

怎么可能不喜欢？它简直和德久梦想中的房子一模一样。

他一直想住在这样的房子里，想把房子作为礼物送给妻子和孩子。

此时此刻，他梦想了二十多年的房子，就在他面前。

更重要的是，这个房屋模型的大门正是德久收藏的那扇门的样子。

门表面刷了一层焦糖色的油漆，并雕刻着精巧的图案，是一扇看上去老旧却气质庄严的大门。就连狮子头形状的门把手也一模一样。

老婆婆温柔地对惊讶得说不出话的德久说："这个房子目前空无一物，你需要和妻子商量往里面放什么风格的家具，采用哪种室内设计……你们可以按照喜欢的方式随意装饰，毕竟这是你们的家。"

老婆婆的最后一句话，说到了德久的心坎上。

"谢谢您。"

德久接过房屋模型，向老婆婆深深地鞠了一躬后，转身从纽扣门走了出去。

眼前是他熟悉的公寓后院。他回头看了看，通往魔法商店的圆形纽扣门消失了，只剩下一扇褪了色的绿色长方形门。

这是通向公寓地下室的门。不过，德久以后不会再去地下室了。他现在只想赶快把手中的房屋模型拿给妻子和孩子看。

然后，他会对家人做出承诺："有朝一日，我们一定会住进这样的房子。"

德久急匆匆地向家里走去。

五十年后，城镇中新建了一栋房子。

房子有两层，屋顶是酒红色的，外墙是柔和的奶油色。一层有一个大阳台，二层有一个大露台。屋顶上还有一根漂亮的烟囱。

房子的客厅里摆着一个特殊的房屋模型，每个来访的客人看到它都会惊叹不已，因为它的设计和这栋房子一模一样。

"这是我爷爷留下来的。爷爷总是对奶奶和爸爸说，有朝一日要住进这样的房子。不知从何时起，这竟成了我们全家人的梦想。到了我这一代，这个梦想总算实现了。"

每当有人问起房屋模型的由来，房子的主人总是这样解释。

3

故事讲述者的笔记本

一天，小风在阁楼上整理杂物。他把每个箱子都打开，一一查看里面的物品，然后在箱子外面贴上写有物品名称的标签。

小风在整理的时候，一直生着闷气。

对于正处在叛逆期的十四岁的小风来说，整理杂物并不是他想做的事。要不是妈妈威胁他"不整理就不许吃饭，也没有零花钱"，他才不乐意做这件事呢。

"凭什么让我在这里整理东西？再说了，这里放的大多数闲置品也不是我的呀。"

今天是难得的星期天，天气又这么好，我却要在满是灰尘的阁楼里，埋头整理这些来历不明的旧东西。

小风觉得自己非常倒霉。

要是能整理出宝贝或是什么值钱的东西还算有点儿意思。可是，他整理了半天，找出的都是十几年前的相册、过时的连衣裙、难看的餐盘和茶杯。真想把它们一把火烧了，小风愤愤地想。

在翻了十几个箱子后，小风终于找出了一样让他感兴趣的东西。

那是一箱看起来有些年代的笔记本，足有将近五十本。小风翻开看了看，发现里面密密麻麻地写满了字。但是写字用的蓝墨水已经褪色，无法辨认写的是什么。

"这是什么东西？"

不管怎么说，能写满近五十本笔记并不是一件简单的事。小风抱着装着笔记本的箱子走出阁楼，打算问问妈妈。

"妈妈，我找出了这些东西。这是什么呀？"

"让我看看……这些都是笔记本？"

"是的。但是里面的内容已经无法辨认了，因为墨水全褪色了。"

小风的妈妈陷入了沉思，突然，她拍了拍手，似乎想到了什么。

　　"我想起来了！这是你姨姥留下来的笔记本。"

　　"姨姥？是那个有些奇怪的阿九姨姥吗？"

　　"是的。她喜欢幻想，就算变成了老奶奶，也依然像少女那般天真无邪、热爱冒险。她喜欢写故事，就像这样写在笔记本上，然后讲给小孩子听。这些笔记本一定是她当时写故事用的。"

　　"这样啊。那我们该怎么处理这些笔记本呢？"

　　小风的妈妈露出了为难的表情，笑了笑，说：

　　"嗯……这样放着也不是不行，但是上面的字迹已经看不清了，索性烧掉它们吧。"

　　"那我来烧吧。"小风自告奋勇。

　　小风很讨厌整理东西，却喜欢处理掉没用的东西。

　　小风立刻把装着笔记本的箱子搬到后院，那里有一个用砖石砌成的炉灶——小风家一直用它来烧垃圾。

　　"一本一本地烧太麻烦了，直接连箱子一起放进去吧。"

小风把箱子放进炉灶里，然后拿起一旁的火柴盒。正准备点燃火柴时，他突然听到一声大喊：

"那位年轻人，请手下留情！"

小风吓了一跳，手上的火柴也掉了。

他急忙四处张望，发现后院的栅栏外站着一位戴眼镜的老婆婆。

"怎么了？"小风睁大了双眼。

他从没见过打扮得这样奇特的老婆婆。她的头发染成了显眼的亮粉色，头戴一顶有些夸张的红色帽子，帽子上插着许多针，帽檐上装饰着剪刀、毛线球和线轴，看起来像是把针线盒顶在了头上。她的衣服上缝满了五颜六色的纽扣。

老婆婆还背着一个小熊玩偶。小熊是用许多碎布头缝制的，看起来就像打了满身的补丁。它的眼神有些可怕。

小风鼓起勇气，战战兢兢地问：

"有……有什么事吗？你是什么人？"

"我是路过的魔法师。"

"魔……魔法师？真的吗？"

"是的。先不说这个，你准备烧什么？"

老婆婆探出身子，盯着小风旁边的炉灶，一副很感兴趣的样子。

"原来是笔记本呀。嗯，我感受到了很美好的气息，我的直觉绝对不会错。把这些笔记本给我怎么样？当然，我会用一样你喜欢的东西来跟你交换。"

不等小风回应，老婆婆急忙把背上的小熊玩偶放到地上，把手伸进了小熊的口中。

小风这才反应过来，原来老婆婆背的小熊不只是个玩偶，还是一个背包。

背着奇怪样式的背包，穿着一身奇特的衣服，这位老婆婆说不定真是魔法师。

就在小风思索时，老婆婆已经拿出了一堆东西，摆在小风面前。

"看，这是煤油灯，别看它小，当你需要光的时候，它一定能派上用场，比如露营时就可以用它照明。这是八音盒，是我用一位手受伤的音乐家给我的小提琴做成的，它能演奏出悦耳的音乐。说到男孩子喜欢的东西，这件斗篷怎么样？这是我用蝙蝠形状的伞制作的。在满月的夜晚，你可以穿上它在空中飞翔。"

每一样东西都魅力十足，小风被深深地吸引了。

然而，他转念一想：老婆婆能毫不吝惜地拿出她的宝贝来交换，说明她一定非常想要这些笔记本。连魔法师都想要的东西，一定价值连城。我怎么能轻易放手呢？

小风故意装出一副不感兴趣的样子。

"看起来都不怎么样嘛！"

"是吗？"

老婆婆有些沮丧，却没有放弃和小风交易。

"既然这样，你来我的店里看看吧，我店里有更多有趣的商品。"

"你为什么这么想要这些笔记本呢？你想用它们来做什么？"

"我要把它们改造成新的东西。我的魔法就是把人们不需要的东西改造成美好的东西。这是我的生意，更是我的价值所在。"

"这些破旧的笔记本能做成其他东西吗？"

"当然能。我知道笔记本里记录了许多故事，用它们一定能改造出很棒的东西。"

"那么，我要你说的那样东西。"

老婆婆有些惊讶地看着小风。

"你说什么？"

"我说，我可以把笔记本给你，但是你要把用它们做出来的东西给我。听懂了吗，老太婆？"

老婆婆正颜厉色地对有些骄横的小风说："我有名字，我叫都留。

"不过这样也好。偶尔做一次这种生意也不错。那么，你喜欢什么呢？或者你有什么想做的事吗？"

"让我想想……我喜欢睡午觉，我的梦想是什么都不做就可以变成名人。"

"你怎么这么无趣！好久没遇到让我这么没干劲儿的情况了。不过，我可以试试。你把这些笔记本全部给我吧。"

"你可不能耍赖！"

"你这个孩子，怎么对魔法师没大没小的，小心我用魔法封住你的嘴巴。"

"对……对不起。"

小风有点儿害怕，赶紧把装着笔记本的箱子递给都留。接着，他跨过栅栏，站到都留的旁边。他这么做，一是为了防止都留逃跑，二是想亲眼看看都留怎么施魔法。

到底能做出什么东西呢？让我来领教一下吧。要是做出了什么奇怪的东西，我就马上一把火烧掉。

小风自顾自地盘算时，都留唱起了一首歌。

> 松叶、荨麻、黑蔷薇，
>
> 针之守护者，来我身边。
>
> 木贼、鼠曲草、鸡眼草，
>
> 听我召唤，速速聚集。
>
> 重新编织旧日之记忆，

面向未来为他创作。

让毁坏之物重获新生，

如同谱写一首新歌。

笔记本仿佛在吸收歌曲的魔力，开始发出耀眼的光芒。过了一会儿，笔记本竟变成了一束光。这时，都留帽子上的针和线轴突然飞到空中，绕着这束光动了起来。

当光芒消失时，都留的怀里多了一个大大的枕头。它洁白柔软，枕套的边缘用蓝色的线绣了一行古代文字。

"什么呀，不过是个枕头。"小风忍不住大叫起来。

能亲眼见到魔法的确有趣，可魔法做出来的竟只是个枕头。小风大失所望，和枕头一比，刚才那件能让人在天上飞的斗篷要好得多。

小风表示自己不想要枕头，想要刚刚那件斗篷。

都留听后，冷淡地说：

"你刚才已经做出了选择。你不是说想要用这些笔记本做出来的东西吗？与魔法师交易，必须遵守约定。好了，快收下吧。否则，你就什么都得不到了。"

听了都留的话，小风只好不情不愿地收下枕头。

"它有什么奇异的功能吗？它一定有不可思议的力量吧。"

"你自己试试看吧。反正我要回家了。哎呀，肩膀好久没这么酸痛过了。"

都留一边小声抱怨着，一边飞快地拐进道路尽头的小巷，消失了。

小风失望地看着手中的枕头。

"枕头哇……"

他本以为都留能做出什么了不起的东西呢，结果……

不过，这个枕头摸起来软软的，还带着花香，枕着睡觉应该很舒服。

"说不定这是一个能让人做好梦的枕头。"

这样一想，小风又打起了精神。

"总之，我先枕着试试吧。"

现在正好是午休时间，整个上午被妈妈支使着干这干那，小风早就累坏了。他心想，枕着这个枕头，一定能很快睡着，便抱着枕头回到了自己的房间。

他把枕头放到床上后便躺了上去，不一会儿，就进入了梦乡。

在一片黑暗中，小风听到有个人在说话。

"今天你想听什么故事呢？"

这是一个女人温柔的声音。

小风明明已经不是小孩子了，却突然很想听故事。他情不自禁地说：

"我想听一个快乐的故事。"

"好的。那我讲一个'勇敢的豆子与龙'的故事吧。"

女人开始讲故事。

然后，就像看电影一样，小风的眼前竟出现了故事中的画面。随着故事的推进，画面也跟着变换。现在小风看到的是主人公豆子骑着龙四处遨游的场景。

小风沉醉其中。他认真聆听故事，紧盯着眼前不断变化的画面，不想错过豆子冒险之旅的任何一个细节。

"豆子救了南瓜公主之后，骑着龙又踏上了新的冒险之旅。故事结束。"

听到"故事结束"的瞬间，小风就醒了。他心中涌起读完一本书的满足感。他不仅记得整个故事，还记得故事讲述者的每一句话。这些话语就像刻在了他的脑海中。

"这一定是姨姥在笔记本中写的故事，而枕头的作用就是让我梦到这些故事。"

小风心中暗喜，心想：这样睡觉就变得更有意思了，而且笔记本里的故事那么多，这个枕头一定能让我再做很多有趣的梦。

之后的每晚，小风都枕着这个枕头睡觉。

就像小风想的那样，枕着这个枕头做的梦，每一个都无比有趣，让人陶醉。遇到自己特别喜欢的故事，只要向枕头提出要求，听多少遍都可以。

真开心！真有趣！

小风的心完全被这个枕头俘获了。然而，他突然想到了一件事。

枕头让我梦到的全是姨姥写的故事。也就是说，这些故事除我以外没人知道。那我把它们当成自己创作的故事也没问题吧。

"这么多有趣的故事只有我一个人能听到，真是太可惜了。"

小风决定把枕头讲给他的故事写在笔记本上。他记得故事中的每一句话，所以下笔成章，一点儿错漏都没有。

在写了十个故事后，小风联系了一家出版社，将笔记本送了过去。

"这是我写的故事，请读读看。"小风骄傲地以作者自居。

一周后，出版社打来电话：

"故事太精彩了，请一定让我们来出版。"

之后，小风作为少年作家在文坛出道了。

"这竟然是一个十四岁的少年写的故事，简直让人难以置信。"

"太棒了！"

"他是天才！"

很快，小风就变成了热门人物。他的书本本畅销。大人们都尊称他为"老师"，对他赞不绝口。小风得意极了。

然而……

令他始料不及的事发生了。

自从小风的书出版后，魔法枕头就不再给他讲故事了。不管小风怎么祈求都不管用，他再也听不到故事讲述者的声音了，也看不到故事的画面了。

不仅如此，他之前梦到的故事，也渐渐地从脑海中消失了。

小风焦急不已，因为各个出版社都在催促他："请尽快创作新的作品。"

"喂，拜托了，你这样让我很为难。拜托了，快给我讲几个新故事吧。"

无论小风说什么，枕头都缄默不语。

小风勃然大怒。

我都这么低三下四地求你了，你还无动于衷！啊，我知道了，一定是枕头坏掉了。那个魔法师老太婆给我的竟然是残次品。

"可恶，我才不需要坏掉的东西！"

小风拿起一把大剪刀，恶狠狠地插进枕头里。

刺啦一声，枕头里传来了纸张被撕碎的声音。接着，有什么东西从枕头里哗啦啦地涌了出来。

是文字，蓝色的文字。

它们争先恐后地从小风划开的口子里涌出来，像一群受惊的飞鸟一样不断攻击小风。

"啊？这……这是怎……怎么回事呀？走开！别过来！我……我错了！对不起！"

小风一边尖叫，一边想要赶走这些文字。最后，他开始哭着道歉。

然而，这些文字却没有宽恕他，毫不留情地贴在了他的身上。

文字组成了一个个词语：骗子！故事小偷！撒谎精！

这些蓝色的词语像是印在了他身上，即使他用肥皂清洗、用洗澡刷使劲刷也无法去掉。

是的，在小风坦白"这些故事不是我写的"之前，它们永远不会消失。

4 行星吊饰

六岁的小女孩米娅走在路上，脸上是一副快要哭出来的表情。她刚才挑战小卖部的抽奖活动，结果花光了所有的零花钱。

　　米娅想要二等奖的玩具车。那辆车通身用镀锡铁皮做成，车身的颜色是令人愉悦的天蓝色。车门和发动机盖都可以打开，车子里方向盘、油门、刹车一应俱全。它看起来几乎和真车一模一样，米娅觉得它非常迷人。

　　米娅实在太想得到这辆玩具车了，因为弟弟的生日就快到了。

　　米娅的弟弟叫库特，是她唯一的弟弟。库特从小体弱多病，经常发烧，总是躺在床上养病。

　　米娅想送给弟弟一份礼物。她心想，如果弟弟收到一份很棒的礼物，身体应该会好起来的。

米娅看中的就是小卖部抽奖活动中的奖品玩具车。

她试了好几次，每次抽中的都是纪念奖——一颗小糖球。最后一次终于不是纪念奖了，但奖品却是一枚城堡徽章。米娅失望极了。

这枚徽章，我并不想要呀。

没得到想要的玩具车，零花钱却花光了。米娅只好沮丧地离开。

她努力噙住眼泪往家的方向走去，却还是忍不住哭了出来。

滴答！

米娅觉得，自己的眼泪滴到地面的声音，听起来格外大。

就在这时，不可思议的事情发生了。米娅眼泪掉落的地方，竟然升腾起一股白雾。

潮湿的雾气转眼间就包围了米娅，四周的景色也渐渐变得模糊不清。

"怎……怎么回事？"

米娅感到有些害怕，她瞪大眼睛盯着前方。

浓雾深处有一点儿亮光，温暖的灯光让米娅逐渐放松下来。她像被吸引住一般，忍不住朝光源走去。

那是一座掩映在灰色的砖墙建筑之间的独栋房子。

米娅从没见过这么独特的房子。房子有两层，方方正正的。房顶上既不是瓦片，又不是木板，而是比米娅还大的毛线球——淡红色、红色、桃红色、淡紫色、紫红色的毛线球。

毛线球之间还有巨大的剪刀和毛线针。整个房子看起来就像一个放大版的针线盒。

门和窗户的形状也很奇怪，像是按照纽扣的样子做出来的。桃粉色的门上还镶嵌着四幅圆形的玻璃彩画，上面画的都是缝纫工具。

最奇怪的当数房子的外墙了。墙上既没有玻璃、瓷砖，又看不到堆砌的砖块，而是布满了密密麻麻的纽扣。放眼望去，五颜六色的纽扣就像鱼鳞似的闪闪发光。

这栋房子越看越奇妙。究竟是什么人住在里面呢？米娅好奇地透过圆形窗户向内窥探。

她吃惊地发现，里面到处都是闪闪发光的东西。这里看起来像是一家商店，里面的商品摆得满满当当，每一样都散发着光芒：有的是活跃的橘色光芒，有的是沉静的紫色光芒，有的是嫩草般的黄绿色光芒，还有的是月亮般皎洁的银色光芒……

米娅光看着它们就觉得心潮澎湃，但她很快又难过了起来。

她想进去看看，可身上没钱了。像她这样的小孩子，如果没拿钱就走进商店的话，一定会被店主嫌弃的。

还是不进去了，只看不买也挺无聊的，早点儿回家吧。米娅想。

然而，米娅的目光却怎么都无法从那些商品上移开。

这时，一阵"丁零零零"的声音响起，纽扣门突然被打开了。

米娅大吃一惊。门里面站着一位看起来很奇怪的老婆婆。她留着一头亮粉色的短发，身穿一件缝满了纽扣的连衣裙，头上戴着一顶装饰着针、剪刀、线轴、毛线球的红色大帽子。

她简直像这栋房子的翻版，让人一眼就能看出她是房子的主人。

老婆婆戴着一副眼镜，镜片后的眼睛亮晶晶的。

"有客人来了呀。欢迎光临！别站在那里不动，快进来吧。"

"嗯，但是……"

"好了好了，不要客气，快进来吧。"

老婆婆一边说着，一边牵起米娅的手，把她引到店内。

店里到处都是让人惊艳的商品，有的就算不知其用途，也让人看了就想拥有。

店里的玩具更是琳琅满目，有木马、拼图、玩偶、房屋模型、玩具汽车、玩具飞艇、串珠玩具等等。

米娅忍不住倒吸了一口气。她之前去过一次市里的大型商场，就连那里的玩具店也没有如此精美的商品。

老婆婆对恍若身处梦境的米娅说："你似乎带了一样不需要的东西。是什么呢？快给我看看。"

老婆婆是怎么知道的？米娅虽然有些疑惑，却还是把中奖获得的城堡徽章拿了出来。就连小孩子也看得出来，这枚徽章根本不值钱，上面的城堡图案更是一点儿也不可爱。

然而，老婆婆看到徽章却开心地笑了。

"真不错，我正好想要一座城堡。你来得真及时。"

"什么？"

"把这枚徽章给我如何？我用店里的东西跟你交换，你可以选择店内任意一样东西带走。"

"真……真的吗？"

"真的，什么东西都可以。选一样你喜欢的东西吧。"

这么不可思议的事情竟会发生在我身上！连大型商场都买不到这些东西呢，我真是太幸运了！

米娅惊讶地想着，回头看向身后摆满玩具的架子。

是呀，这是难得的机会，我选个男孩子喜欢的东西，给弟弟当作礼物吧。

米娅走到架子前，激动得心脏怦怦直跳。

这家店里的每一样东西都很棒：有精美的绘本、可爱的玩偶、装满动物木雕的手提箱、锃亮的喇叭、红色的小鼓、装满金币的宝箱和海盗服饰，还有风筝、陀螺，以及绣满刺绣的帐篷……

有很多东西连米娅自己都想要，她的心动摇了好几次。尤其是在看到足以与真王冠媲美的王冠道具和珍珠色的公主裙后，她差点儿忍不住伸手去拿。

拥有它们就可以玩公主扮演游戏了！

然而，米娅竭力克制住了内心的渴望。

不行不行，今天是来给库特找礼物的。

库特喜欢读书，如果收到绘本，他一定会很高兴。这匹镶满珠子的木马看起来也不错，不过万一库特不小心从上面摔下来就糟了，还是不选这个了。

米娅一边考虑着弟弟虚弱的身体状况，一边认真地挑选礼物。

最后，她终于发现了一样合适的东西。

那是一个挂在天花板上的吊饰，几颗宝石般的行星排布在各自的轨道上，用彼此的重量保持着微妙的平衡。

最好看的是位于中心的太阳。它的颜色是鲜艳的金黄色，周身红色的火焰时隐时现。

米娅想要看得更清楚一些，于是走到了吊饰下面。一瞬间，她感受到了如同春日阳光般的温暖，仿佛自己正沐浴在阳光下，全身暖洋洋的，充满了活力。

米娅看中了这个吊饰。

她想把吊饰给弟弟挂在床的正上方。这样一来，因为怕冷而不能出门的弟弟，也能恢复些精神。弟弟发烧躺在床上休息时，睡在吊饰下面，也许还能做一个关于星星的梦呢。

米娅跑到老婆婆身边，指着行星吊饰说：

"我想要那个。"

"嗯！你选了个好东西，那可是我的得意之作。"

"是您做的？"

"你可以叫我都留婆婆。店里所有的东西都是我做的。"

说着，都留搬来一架梯子踩了上去，从天花板上取下了吊饰。

"给，你要的是这个吧？"

米娅使劲点了点头。她凑近看了看，发现吊饰比刚才远看时还要漂亮，顿时惊讶得说不出话来。

蓝色行星、红色行星、带有大理石纹理的黑褐色行星、镶嵌着雪花图案的绿色行星、绘有金色螺旋图案的蔚蓝色行星、静谧皎洁的银色月亮和光彩夺目的金色太阳，真是美不胜收。

啊，果然是这样。米娅从吊饰中感受到一股强大的力量。那个小太阳简直就像一个真正的太阳。

这个送给库特再合适不过了。它简直是为库特量身打造的礼物。

米娅越看越相信自己的感觉。就算吊饰上只有太阳，没有装饰其他行星，她也一定会毫不犹豫地选择它。

都留小心翼翼地将吊饰包起来递给米娅，米娅则把城堡徽章送给都留。但她还是有些不安。

行星吊饰和玩具徽章，连米娅都知道它们是完全不等值的东西，怎么能相互交换呢？真是太奇怪了！

米娅忍不住问都留：

"您为什么想要这枚徽章呢？"

"因为你不需要它了。你不需要的东西，对我来说反而是充满魅力的材料。"

"材……材料？"

"是的。我会用别人不需要的东西做出全新的作品。这是我的工作，也是我的乐趣所在。店里的所有东西都是我用旧物改造而成的。"

都留一边说着，一边张开双手，仿佛要给米娅一一介绍店内的东西。

米娅睁大了双眼。

"那您打算用徽章做什么东西呢？"

"让我想想。"

"那……这个太阳也是用别人不需要的东西做的吗？这么漂亮的东西，竟然有人不需要！"

"这个太阳原本没有这么闪耀，可能正因如此，先前的主人才想要丢掉它吧。我把它当作原材料，和其他的石头一起打磨,改造成了行星吊饰。你喜欢它吗？"

"嗯，非常喜欢！"

"那就好。"都留笑眯眯地说，"它能得到你的喜欢，我再高兴不过了。谢谢你！你差不多该回家了，不然你的父母会担心的。"

"嗯，谢谢您，都留婆婆！"

米娅小心地抱着包装好的行星吊饰，打开了纽扣门。外面的雾渐渐消散，对面就是她熟悉的马路。从邮筒那里转过去，她很快就能到家。

"我要赶快回去，把行星吊饰送给弟弟。"

米娅自言自语地说着，急匆匆地向家里跑去。在她身后，都留的商店眨眼之间就模糊起来，和薄雾一起消失了。

而米娅获得的行星吊饰，从那天起就一直悬挂在弟弟的床铺上方。

看着吊饰，库特开心地笑了起来。

"姐姐，谢谢你！吊饰特别好看！"

"对吧！"

"而且，它很温暖。我感觉身体里的寒气都被赶走了。"

库特沐浴着小太阳的光辉，笑得特别开心。米娅惊讶地发现，弟弟的脸色似乎变得好些了。

从那天起，库特的身体就一天天地开始好转。他起床活动的时间一天比一天长，脸色红润了起来，食欲也越来越好。

"不用再担心他的健康状况了，他已经可以和正常孩子一样生活了。"这天，库特的主治医生确定地说。

奇迹发生了！爸爸妈妈喜极而泣。米娅却知道这并不是奇迹，一切都是因为行星吊饰。行星吊饰上的太阳把库特身上的疾病全都吸收了。

库特也隐约感觉到了。他在恢复健康后，仍然把行星吊饰挂在床铺上方，不想摘掉它。

"睡前看着它，我总觉得它在守护着我。而且，我总能梦到宇宙……宇宙是什么样的地方呢？"

因为行星吊饰，库特开始对行星产生兴趣。他阅读了大量研究宇宙的书籍。长大后，他用兼职挣的钱买了一架天文望远镜，只要有空，他就用它观察宇宙。

后来……

库特成了一名优秀的天文学家，还发现了一颗新的行星。他把那颗行星命名为"米娅星"。

"这是我姐姐的名字。因为姐姐送的礼物，我爱上了行星。所以，我带着对姐姐的感激之情，为这颗行星取了这个名字。"在自己的研究室接受记者采访时，库特骄傲地说。

天花板上，一个美丽的行星吊饰正随风摇曳。

5

被讨厌的红球

一天，都留心血来潮打开了自己的百宝箱，笑眯眯地查看里面的东西。

　　"不错不错，收集得差不多了。还剩最后一样，嗯……什么时候能到手呢？哈迪，我真的很期待呀。"

　　都留对自己的搭档小熊背包说。

　　这时，砰的一声，店门被猛地撞开，一个年轻女人冲了进来。

　　她脸色发青，红色的头发非常蓬乱，嘴唇哆嗦着。昂贵的连衣裙也因为她一路飞奔而变得乱糟糟的。

　　"你怎么又来了？"都留大吃一惊。

　　女人紧紧地抓着都留，大声喊道：

　　"把……把那颗红球……还……还给我！"

　　她的声音非常大，都快把店内窗户的玻璃给震碎了。

希拉拉从小就是个贪心的孩子。

每年过生日，她都希望收到比上一年更多的礼物。她会根据带不带礼物，把来家里的客人分成"好人"和"不怎么样的人"。

自己的东西，哪怕是一颗糖，她都舍不得分给别人。看到别人拥有自己没有的东西，她就会心生嫉妒。

但几乎没人察觉到她的贪心。任谁看到这个红头发的可爱女孩子，都不会把她和任性、贪心联系起来。

然而，有一个人没有被希拉拉的外表欺骗。

她就是希拉拉的奶奶。

"这个孩子太贪心了。如果不趁早让她改正，早晚会出大事的。"

正是因为这句话，希拉拉很不喜欢自己的奶奶。但是，她从未表现出来。

平时她总是向奶奶撒娇，表现得非常依恋奶奶。因为希拉拉的奶奶非常富有，还拥有许多精美的珠宝首饰，镶满蓝宝石的头冠、用黄托帕石做成的向日葵胸针、珍珠项链、红宝石戒指等，数不胜数。

只要我能讨得奶奶的欢心，这些珠宝以后就都是我的。

为了达到目的，希拉拉整天把"我最喜欢奶奶了"挂在嘴上。在奶奶面前，她努力把自己伪装成善良、大方、惹人疼爱的孩子。

希拉拉演技精湛，似乎连奶奶也没有识破。

"希拉拉变成好孩子了。"奶奶疼爱地说。

希拉拉有时会想：等奶奶去世了，她一定会把所有的珠宝都留给我。毕竟在一众孙子孙女中，我是最受宠的。

很快，希拉拉二十二岁了。有一天，她在奶奶的书房里发现了一件不得了的东西——奶奶的遗书。

希拉拉的心怦怦直跳，她迫不及待地拿起遗书。

奶奶最近精力不济，一天到晚躺在床上。想来她是觉得自己时日无多，才会留下这封遗书的。

"让我看看遗书都写了什么。"

希拉拉小心地拆开信封，取出了里面的遗书。

奶奶明确地写出了她去世之后的财产分配：图书室里的书留给喜欢阅读的堂哥玛尔，古董留给儿子诺特，银器留给儿媳卡拉，家具留给女儿西斯……

希拉拉快速浏览了一下这一部分内容，便继续往下看。她感兴趣的只有奶奶的珠宝。

终于，她在最后一段看到了珠宝的去向。奶奶是这样写的：

"我的珠宝就留给年轻的孙女们做纪念。蓝宝石头冠留给琳，向日葵胸针留给悠亚，珍珠项链留给艾宝，红宝石戒指留给希萝。最后，我要把放在书房的红球留给希拉拉……"

希拉拉没有继续读下去。

她怒火中烧，眼睛都气红了。

原来奶奶早就看清了我的本性。她嘴上说我是好孩子，心里肯定瞧不起我。什么红球？啊，那个东西呀，不过就是一颗涂着红色颜料的浑浊玻璃球。她竟然把价值连城的珠宝留给其他孙女，却把廉价的红色玻璃球留给我。

我不允许！我决不允许！

希拉拉将遗书撕得粉碎，丢进壁炉里烧了。然后，她开始思考起来。

如果没有遗书，亲戚们就会在奶奶去世后一起讨论遗产的分配，从而拿到自己想要的东西。当然，想要珠宝的人一定不少。在那之前，我得先将珠宝藏起来。它们都是我的，谁也别想从我手中夺走。

希拉拉立刻溜进奶奶的卧室，偷偷从大珠宝盒里取出那些珠宝，装进自己的包里。然后，她若无其事地离开了奶奶的家。

然而，走在回家的路上，希拉拉又犹豫起来。

这些珠宝拿是拿出来了，可是接下来该怎么办呢？希拉拉本想把它们藏在家里，但仔细一想，这样做太冒险了。

如果被人发现就全完了。大家要是知道是我拿走了珠宝，一定会骂我是小偷的。但是，好不容易拿到手的珠宝，还是放在自己身边最安心。现在最好的解决办法就是把这些珠宝改造成别的样式。比如，把戒指上的红宝石取下来做成吊坠什么的。这样一来，有人问起时，我就可以佯装不知："这不是奶奶的珠宝。"不知道哪家珠宝店愿意帮我改造呢？

希拉拉一边走一边思考，完全陷入自己的世界中，丝毫没有注意到周围的景色。

等回过神时，她发现自己竟来到了一个陌生的地方。

这里似乎是某条小巷。希拉拉眼前是一排排泛着青灰色的砖墙建筑，浓雾让周围的一切都变成了朦胧的白色。四周万籁俱寂，每栋建筑看起来都像是无人居住的样子。

在这一片黑暗之中，只有一栋房子亮着灯。它虽然只有两层，还夹在两栋高大的建筑之间，却特别显眼。

那栋房子的外观很奇特。屋顶上有好几个巨大的毛线球，外墙上覆盖着无数的纽扣，门和窗户都是纽扣形的。整栋房子看起来就像一个针线盒。希拉拉不由得看呆了。

在奇妙的街上建造的奇妙的房子……希拉拉有一种感觉，这栋房子正在邀请她进去。

希拉拉恍然大悟：这一定是魔法，是魔法把我带到了这里。那么，这栋房子里一定住着魔法师。

希拉拉顿时激动得双眼放光，心想：据说只要请求魔法师，他们就一定会帮忙。虽然得支付等价的报酬，但现在这种情况，能帮我的也只有魔法师了。

希拉拉顾不了那么多了，她迅速朝小房子走去，推开了纽扣门。

这里好像是一家商店，各种小摆件、衣帽、首饰等摆得到处都是。然而，比这些东西更引人注目的是坐在柜台里的老婆婆，她正在吃曲奇饼干。

希拉拉吃了一惊。

同样是老年人,这位老婆婆和自己高挑端庄的奶奶却大不相同。她个子矮小，身上佩戴的不是珠宝，而是各种纽扣和缝纫工具。她还戴着一副眼镜，镜片简直像是用果酱瓶底做的。

真没品位！希拉拉忍不住在心里轻蔑道。

与之相反，老婆婆看到希拉拉却显得特别高兴。

"欢迎光临！"

"您好。我猜这里是魔法师的商店吧。"

"没错，这里是改造屋。我会把坏掉的、不能使用的东西，改造成全新的、精美的东西。漂亮的女士，你有什么需求吗？"

改造物品，我需要的正是这个。

希拉拉一边暗喜，一边走向老婆婆。

"我确实有一个烦恼。我从奶奶那里继承了许多珠宝，可是它们的款式都太华丽了，不适合我。能不能请您把它们改造成适合年轻女性的东西呢？"

希拉拉把她从奶奶那里偷来的珠宝取了出来。

"啊，这些珠宝看起来很贵重啊！"

老婆婆看上去有些惊讶，但也仅此而已。她丝毫没有将珠宝据为己有的想法。

希拉拉想起自己好像在哪本书中看到过，魔法师对珠宝并没有兴趣。她忍不住窃喜，自己真是来对地方了。

"怎么样？您能为我改造吗？"

"好的，我接下这份委托了。"

"太好了，您能把它们做成适合我的东西吗？"

"当然了，如果不能让客人满意，我的工作也就没有意义了。只不过，我需要报酬。"

"您需要多少钱？"

"我不要钱。"

老婆婆一脸认真地看着希拉拉。

"我们店里的规矩是以物易物，客人不需要的东西就是我要收取的报酬。你有想要扔掉或是讨厌的东西吗？"

"有的。"

希拉拉的脑海里立刻浮现出那颗讨人厌的红球。

竟然把那种东西留给我，奶奶真讨厌。

正当她这么想着的时候，咻的一声，那颗红球就出现在她的手上了。

希拉拉吓了一跳，但她很快就平静了下来。这里毕竟是魔法师的商店，到处充满魔力。魔法师想召唤远方的东西，简直轻而易举。

希拉拉什么都没说，就将红球递给了老婆婆。

"原来如此，真是个好东西。"

"您说这是好东西？"

"你不明白。你越不想要这个东西，越觉得它没有价值，对我来说，它就越有魅力、越有价值。"

老婆婆一边说着让希拉拉摸不着头脑的话，一边接过红球，小心翼翼地将它放进口袋。

"好了，我已经收下了你的报酬，那现在就开始为你改造吧。对了，你还想要这些宝石吧？那我就还改造成首饰。"

"嗯……啊，还是不要做成首饰了。"

要是被爱说闲话的亲戚发现了，他们一定会问："这是你用奶奶的珠宝打成的首饰吧？"为了避免麻烦，也为了不让人察觉这些是我偷来的，还是把它们做成一个能放在我身边的装饰品吧。

希拉拉想了想，随后向魔法师提出了要求：

"我想要一个能放在我身边的东西，但不能让人看出它是用首饰改造的。如果可以的话，最好让它看起来不像是用真正的宝石做的。"

"你为什么要这么做呢？"

"要是被人知道我拥有这么多昂贵的珠宝，有人起贪念把它们偷走了怎么办？"

"你的要求还真难。不过，让我试试吧。"

老婆婆虽然歪着头露出了为难的表情，但还是开始动手改造了。

首先，她把那些珠宝摆在柜台上，又从里间拿来一把只剩伞骨的伞，放在珠宝旁边。然后她闭上双眼，慢悠悠地唱起了歌。

老婆婆的歌词听起来好像咒语。她的歌声非常动人，声音更是洪亮而饱满，一点儿也不像老年人。希拉拉深刻感受到了其中蕴藏的魔力。

这魔力很快就让四周发生了变化。柜台上的东西都发出了光芒，老婆婆帽子上的缝纫工具飞到空中，围绕着光芒舞动起来。它们就像被一双看不见的手操纵着，正在裁剪、缝补着普通人看不到的东西。

一曲终了，缝纫工具重新回到老婆婆的帽子上。柜台上放着的珠宝和伞骨却不见了。

取而代之的是一个烛台。烛台呈树形，中间的树干上镶嵌着蜡烛，树枝像伞骨一样自上而下延展，上面结满了珍珠等宝石。树根旁还有一个手捧大颗红宝石的小天使。

多么不可思议的变化，希拉拉惊讶得说不出话来。

树枝上的宝石来自头冠、项链和胸针，而小天使捧着的红宝石来自那枚红宝石戒指。明明它们闪耀的色泽一点儿也没有改变，可整体看上去却显得十分廉价，完全不像真正的宝石。而且，小天使的脸和身体都是歪歪扭扭的，一看就是便宜货。

"唉！"老婆婆叹了口气，"要故意做得不好，还真是有点儿难呢。怎么样，你满意吗？"

"嗯，非常满意。"

希拉拉终于回过神来。魔法师按照要求，完美地做出了她想要的东西。这下谁也看不出来它是用奶奶的珠宝做的。

希拉拉太高兴了，忍不住笑出了声。

"谢谢，这真是太完美了。"

"只要你满意，我就开心。那么，回去的路上注意安全。"

"好的。"

希拉拉拿着丝毫不显眼的烛台，得意扬扬地回家了。她把烛台放在了自己房间的桌子上。

她的妈妈一看到烛台，就忍不住问：

"那是什么呀？"

"朋友送我的礼物。因为是特别要好的朋友送的，我就把它摆在了桌子上。"

"原来如此……不过，你这朋友的品位真不怎么样。"

希拉拉的妈妈皱了皱眉，她做梦也想不到这个烛台竟然是用奶奶的珠宝做的。希拉拉看到妈妈被蒙在鼓里的样子，感到十分满足。

在那之后不到两天，希拉拉的奶奶就去世了。所有亲人前去吊唁，共同商讨遗产分配的事情。由于没有找到遗书，大家决定把所有财产和房屋卖掉，然后平分。

不过，大家却怎么都找不到奶奶引以为豪的珠宝。为此，一家人大闹了一场。

大家互相猜疑、咒骂，说了一堆污言秽语。没过多久，曾经和睦相处的家人就反目成仇，互不来往。

然而，没有一个人怀疑希拉拉。一直扮演好孩子的希拉拉被所有人宠爱着、信赖着。

就这样，希拉拉轻而易举地将奶奶的珠宝据为己有，并一直守着这个秘密。

她成功了。

希拉拉像吃了蜜糖一般满足。她每晚都将烛台放在自己身边，如痴如醉地盯着它看。

两年过去了。有一天，希拉拉在一家咖啡店与诺特伯伯偶遇。诺特伯伯因为遗产分配的事，和希拉拉的父母闹得特别僵。可他看到希拉拉时，还是像以前那样笑脸相迎。

"啊，希拉拉，好久不见。"

"好久不见，诺特伯伯，您最近好吗？"

"唉，我过得不太好。自那场闹剧之后，很多事都变得不对劲儿了，我觉得就像失去了什么重要的东西。我想其他人应该也有相同的感受。"

"那些珍贵的珠宝，要是从一开始就没有该多好。"诺特伯伯痛心疾首地说，"不过，大家都是普通人。一旦碰到金钱纷争，脑子就不会转了。嫉妒、愤怒、猜疑一股脑涌了出来，令人不知所措。我经常想，要是你奶奶留下遗书就好了。只要有遗书，我们一家人就不会像今天这样互相仇视了。"

"是呀。"

"那些珠宝都去了哪里呢？我最关心的就是太阳石的下落。"

"太阳石？"

"你记不记得你奶奶的书房里有一颗圆圆的红球？"

"啊，是那个玻璃球呀。"

"那才不是什么玻璃球呢。"诺特伯伯笑着摇了摇头，"那可是你奶奶拥有的众多珠宝中最值钱的一个。它还只是原石，没有被打磨。只要用特殊的方法切割打磨，它就会散发出如太阳般的光芒。"

诺特伯伯双眼发亮，继续说道：

"还不只如此呢。打磨好的太阳石能散发出不可思议的能量。只要把它放到病人身边，它就能温暖病人的身体，促进病人血液循环。据说它甚至可以把疾病全都吸收掉。因此，哪怕只是一个太阳石碎块，也能卖出很高的价钱。你奶奶的太阳石，应该有一颗李子那般大吧。太阳石越大，蕴含的能量就越强。你奶奶的太阳石可以说是价值连城。王公贵族或亿万富翁要是见到了你奶奶的太阳石，一定愿意用能买下四座宫殿的钱去买下它。"

诺特伯伯没有注意到希拉拉发青的脸色，压低声音继续说道：

"不瞒你说，自从大家闹掰后，我就一直在偷偷监视所有亲戚，并没有发现哪家暴富，或是有人佩戴你奶奶的珠宝。我想拿走这些珠宝的并不是家里人，或许是小偷把珠宝偷走了。"

"是……是吗？既然这样的话，大家是不是可以和好如初了呢？"

"不，很难和好如初了。家人之间的和谐一旦被破坏，就再难恢复原状了。"

诺特伯伯伤心地摇了摇头。

接下来的话，希拉拉已经听不进去了。

那颗红色的玻璃球，竟然是被叫作太阳石的宝石，而且它还价值连城！奶奶正是因为真心疼爱希拉拉，才想着把最好的东西留给她。

然而，希拉拉却什么也不知道，就草率地把太阳石处理掉了。

不，等等……也许还来得及，还可以挽回。

希拉拉急忙站了起来。

"我刚想起来有一件急事要处理。伯伯，我先走了。"

希拉拉冲出咖啡店，一边奔跑，一边回想两年前她曾去过的那家魔法商店的样子。

那家店应该就在这条街的后面。我必须再去一趟。

希拉拉刚有这个想法，奇怪的事就发生了。对面的街道突然变得朦胧起来。

起雾了。青白色的雾缓缓地向四周扩散，让周围的建筑、人群和路灯渐渐变得模糊不清。

就连声音也被浓雾隐去，四周一片静寂。

我还记得这种氛围，和两年前一模一样。也就是说，我找到了那家魔法商店。

希拉拉的心怦怦直跳，她加快脚步向前跑去。不一会儿，在浓雾深处，她看到了那家长得像针线盒的商店。

她急忙跑过去，猛地撞开了纽扣门。那位奇妙的老婆婆还在店里，正一脸惊讶地看着希拉拉。

"你怎么又来了？"

"把……把那颗红球……还……还给我！"

希拉拉的声音非常大，都快把店内窗户的玻璃给震碎了。但老婆婆只是歪头看着她说：

"为什么？我和你的交易早已结束，事到如今也不可能再把那颗红球还给你了。"

"你不要这么说。你给我做的烛台，我还……还给你就是了。你记得吗？就是那个用真正的珠宝做的烛台。你有了那个，就可以变成有钱人了。对你来说，也是一笔划算的生意。快把红球还给我，好吗？"

然而，老婆婆不为所动地摇了摇头，说道：

"真是不巧，红球已经不在我这里了。我将它改造成另一样东西，与其他客人交换了。"

"什么！你给谁了？你把它交换给谁了？"

"我给了真正想拥有它的客人。她和你不一样。她心地善良，配得上那颗红球。"

老婆婆的话让希拉拉猝不及防。

"配得上那颗红球"是什么意思？

希拉拉气得直打哆嗦。

"你肯定知道吧？那颗红球是太阳石！你故意让我跟你交换！你这个小偷！简直太过分了！"

希拉拉怒火中烧，朝老婆婆猛扑过去。

既然如此，不管用什么手段，我都要问清楚那颗红球究竟在谁手里！

　　然而，希拉拉没能把老婆婆怎么样。在她举起拳头准备挥下去之前，她就被谁抓住后颈的衣领提了起来。

　　希拉拉拼命晃动着悬在空中的双脚，向后看去。抓住她的是一只巨大的玩偶熊。熊身上满是补丁，它的眼神看起来很可怕。

　　糟了。这是魔法师的商店。我竟然在这里胡闹，真是太愚蠢了。希拉拉顿时清醒过来。

　　老婆婆一脸冷漠地对冷静下来的希拉拉说：

　　"你问我知不知道红球是太阳石？那是自然。我早就察觉到红球里充满了强烈的感情。不过，你这个人不管得到什么东西，都不会感到幸福的，因为你太过贪心了。换句话说，什么东西在你手中都是浪费。快回家吧，不要让我再看见你。"

　　"等……等一下！"

　　"哈迪，把她丢出去。"

　　玩偶熊慢吞吞地拉开门，砰的一声，将希拉拉扔了出去。

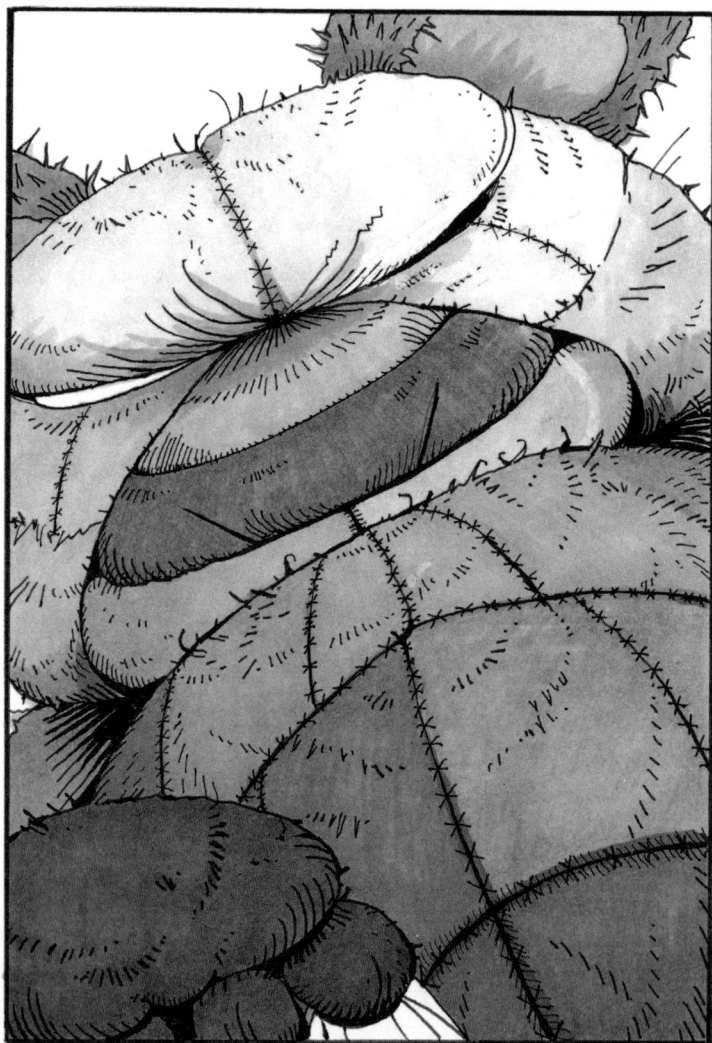

希拉拉摔在坚硬的地面上，身上好多地方都擦破了皮。她从没有这么疼过。

她哭着抬起头，发现魔法师的商店已经不见了。浓雾消散，路上的行人十分惊奇地看着浑身脏兮兮、满身是伤的希拉拉。

希拉拉被羞耻和疼痛折磨着。她费力站起身，拼命向家里逃去。

然而，在家里等着她的是一脸严肃的父母和刚才偶遇的诺特伯伯。

他们的脚下有一个摔坏的烛台——树枝折断了，原本挂在上面的珠宝掉落一地。

这些珠宝闪耀着夺目的光泽，和它们被装饰在烛台上时相比，竟有天壤之别。

"希拉拉，这些都是你奶奶的珠宝吧？"

"这个天使捧着的是那颗红宝石吧。你把它们加工成这种廉价的东西，摆在身边，还真是煞费苦心哪。"

"哥哥，我们真的没发现希拉拉竟然做出了这种事。"

"我知道，不关你们的事。希拉拉，宝石是你偷走的吧？"

诺特伯伯和希拉拉的父母一步步向希拉拉逼近。然而，她却连逃跑和为自己辩解的力气都没有了。

她满脑子只想着一件事。

那颗太阳石，究竟在谁的手里？

6

色彩魔法师的回礼

在神秘小巷的角落里，有一家看上去像针线盒一样的商店，名叫"改造屋"。

拉开桃粉色的圆形纽扣门走进店里，你就会看到许多闪闪发亮的商品，有衣服、首饰、家具、玩具……还有一些小摆件。

每一样都是在别家见不到的，让人看了就挪不开眼的商品。

真是一家梦幻般的商店。店主都留总是将店内打扫得一尘不染。每天早上，她都会认真清扫店内的每一个角落，满怀爱意地拂拭货架上的灰尘，用干净的抹布擦去每一处污垢。

都留这么做不光是因为她爱干净，更是因为她真心喜欢店内的每一件商品。

店内摆的所有商品都是都留亲手制作的。什么时候做的，用什么材料做的，她都记得一清二楚。她把每一件商品都当作自己的孩子来细心呵护。

有时候，她还会和这些商品说悄悄话。

一天早上，都留一边擦着南瓜形状的八音盒，一边开心地低声私语：

"我记得你呀。你原本是守护农田的稻草人的头，是一个小男孩在大南瓜上刻了鼻子和眼睛做成的。你用心地守护田野，可等到秋天庄稼被收割完，你就难逃被烧掉的命运。小男孩不忍心看到你被烧掉，就把你存放在了十年屋。呵呵……兜兜转转，我发现了你，让你焕然一新。好了，现在的你看上去非常漂亮，快给我唱首歌吧。"

都留拧动八音盒的发条，啪的一下，八音盒打开了。

里面是一片小小的金黄色的麦田，田地中间立着一个南瓜头稻草人，他张开的双臂上落满了乌鸦。

稻草人随着悠扬的牧歌起舞，乌鸦快乐地唱着歌。

八音盒里是一个小世界。

都留听着八音盒里的音乐，拿起了旁边的一个小钱袋。它是用真皮制成的，上面的图案像是一幅古代地图。

其实这个小钱袋的前身正是一幅画在羊皮纸上的古代地图。它也许是海盗的藏宝图，人们只要看上一眼，就会生出对冒险的向往。

然而，它是在垃圾回收站里被都留找到的。

"我找到你的时候吓了一跳。你被装裱在那么漂亮的画框里，说明你的主人一定很爱惜你。也许因为你的主人去世了，你才会被当作垃圾丢掉吧。不过没关系，我已经把你做成了全新的商品，你一定会再次等来珍惜你的主人。我相信想要你的一定是喜欢冒险的人。"

都留一边说着，一边用干抹布擦拭钱袋上的灰尘。

"丁零零！"门铃响了。

"啊，有人来了，是客人吗？"

都留把钱袋放回架子上，飞快地走向门口。

"啊，是你呀！"

站在门口的是一个八岁左右的小男孩。今天明明没有下雨，他却穿着一身水蓝色的雨衣，脚上蹬着一双水蓝色的长雨靴。他背着一个挎包，一只翠绿色的小变色龙坐在他的头上。

变色龙热情洋溢地向都留打了个招呼：

"嘿，您好！非常感谢您上次的帮助！"

"不客气，我也要谢谢你们。"都留笑眯眯地说，"你们拜托我建房子，对我来说是一件非常有意义的事，我很高兴，因为这种委托很少见。你们最近过得如何？在那栋房子里住得舒服吗？"

"太舒服了！我们每晚都睡得很好。火炉也很不错，多亏有它，我们每天都能吃到美味的饭菜，而且店里也逐渐有客人来了。有了住所和店面就是不一样啊，生活一下子安定了。"

"那真是太好了。"

都留会心一笑，想起了她和这个小男孩，也就是色彩魔法师阿靛初次相遇的事。

前不久的一天早晨，小男孩阿靛来到了改造屋。

阿靛看起来非常害羞。他将雨衣的兜帽压得很低，不想让人看到他的脸。他几乎不开口说话，而是让自己的魔法使——一只叫"帕雷特"的变色龙替他说。

"我们想请您帮忙建一栋房子，可以吗？"

听到帕雷特的请求，都留抱着胳膊思考了片刻，说：

"房子呀……我还真没建过房子呢。不过，也不是不行。你们想要建一栋什么样的房子呢？是要自己住吗？"

"嗯。阿靛出身魔法世家，我们希望在这条魔法街开一家小店。长老们已经允许我们使用角落的空地。建房子要用的材料，我们也收集得差不多了。接下来，就拜托您了。"

变色龙的请求非常诚恳，可都留还是打算亲自去巷子角落的空地看看。她想知道阿靛和变色龙都收集了哪些材料，也想看看那片空地有多大。如果不掌握这些信息，她就没办法勾勒房子的轮廓。

于是，阿靛和变色龙带着都留来到了空地。那里堆放着大木桶、金鱼缸和渔网。除此之外，还有一个生锈的小火炉和许多木材，应该是他们在别处捡到的。

"原来如此，我明白了。"

"怎么样？"

"材料很充足。你们有什么想法吗？比如，想要一栋什么风格的房子？有什么特别想要放在房子里的东西吗？"

"有的，"帕雷特立刻回答，"我们想要一张吊床。因为摇来摇去，我们很快就能入睡。家里还要有一个能做饭的火炉，我们现在都是在露天里用木柴烧火做饭，实在控制不好火候。而且一旦碰上下雨天，我们就没办法做饭了。"

"确实如此。"

"嗯，我们的要求差不多就是这些。"

帕雷特说完后，阿靛第一次开口了：

"还有架子……"

阿靛的声音小到几乎听不清，但是音色非常澄澈。

"啊，是的是的，我把架子给忘了。我们还想要一个能摆放许多瓶子的架子。"

"摆放瓶子？"

"是的。阿靛是色彩魔法师，他可以从物品中提取颜色。我们想要一个可以存放颜色瓶的架子。"

"原来如此，我知道了。还有别的要求吗？"

"没有了。"

"那么，剩下的就按照我的喜好来设计吧。嗯，房子的造型仿照木桶。如果要使用火炉，必须有根烟囱。吊床就用渔网。至于金鱼缸，就用它来做天花板上的灯吧。另外，窗户的形状一定得是圆的。"

都留目不转睛地盯着这些材料，心中已有了房子的大致模样。

然而，都留在外墙的选色上有些犹豫不决。

淡蓝色？黄绿色？白色？似乎哪个都不太合适。都留有些焦灼，这感觉就像终于要完成整个拼图时，却发现少了最后一块。

如果找不到这块拼图，房子就无法建成。

都留苦思冥想。

突然，一阵强风吹过。

它在都留和阿靛身边打了个转儿，强劲的风力将阿靛头上的兜帽吹了下来，露出他天使般漂亮的脸庞和彩虹色的头发。

"天哪！"

都留瞪大了双眼。

阿靛的头发居然是彩色的：闪耀的金色、绚丽的橙色、鲜艳的红色、清新的绿色、清爽的淡蓝色、典雅的绛紫色，还有如月光般皎洁的银白色。

阿靛五颜六色的头发迎风散开，像彩带一般在空中飘荡，那画面美得无法用语言形容。

阿靛急忙戴上兜帽，都留却看得意犹未尽。

不过，在看到阿靛的头发后，都留的最后一块拼图找到了。

"好。你们两个退后。"

"您现在就要开工了吗？"

"是的。我要趁灵感消失之前赶快建好。这可是我从没做过的大工程，真是心痒难耐呀。"

都留开心地笑着，唱起了她那首魔法之歌。瞬间，空地上就注入了都留的魔法。然后……

歌声结束时，空地上出现了一栋木桶造型的房子。

像阿靛他们期待的那样，房子里有吊床、火炉，墙边还有能存放瓶子的架子。餐具柜、桌子和椅子是都留赠送给他们的礼物。

房子的外墙是彩虹色的。以白色为底，各种颜色颗粒重叠在一起，简直就像是彩虹色的鳞片。没有哪栋房子比它更适合色彩魔法师了。

这是都留使出浑身解数创造出来的作品。看着建好的房子，别说阿靛，就连向来喋喋不休的帕雷特也变得瞠目结舌。

都留想起他们两个当时睁大双眼、一副沉浸在惊喜中的样子，忍不住笑了笑。

"你们今天来这里所为何事？又有东西要请我改造吗？"

"不……不是的。我们今天来是为了给您回礼，谢谢您之前帮我们建造房子。"

"回礼？"

"您在帮我们建房子时不是说过，希望我们下次可以给您分享一些颜色吗？那天之后，阿靛制作了许多颜色，今天我们都带过来了。阿靛，快给都留婆婆瞧瞧。"

帕雷特催促着阿靛。于是，阿靛取下挎包打开，只见里面满满地塞着像药瓶一样的小瓶子。

"啊，真漂亮！"

都留忍不住发出赞叹。这些瓶子里装满了五颜六色的颜料。如宝石般闪耀的颜料似乎在对人诉说着故事，光是看着它们，人就会浮想联翩。

帕雷特看着沉浸在这些颜色中的都留，又补充了一句：

"即使这些颜色您都不满意……只要您说出想要的颜色，阿靛很快就能为您做出来。对吧，阿靛？"

"嗯……您有想要的颜色吗？"

"哎呀，不要催我，让我再好好看看。这个红铜色真不错呀。还有这个嫩绿色，就像漫山遍野的青草的颜色。"

都留兴奋不已，过了一会儿才回过神来。

"对了，我有一样很早之前就构思好了的东西要做，材料也差不多集齐了，现在还差上色的颜料。"

"您想要什么颜色？"

"我想要两种颜色：黑色和白色。"

"黑色有的。是吧，阿靛？"

"是的……"

阿靛立刻找出一个瓶子，里面装的是上好的黑色颜料，看上去威严沉稳，让人联想到暗夜之王。

"真不错！我还是第一次见到这么美丽的黑色。"

"嗯，这是阿靛从夜晚的大海中提取的，我也很喜欢。您仔细看，这黑色中是不是还有粼粼波光呢？"

帕雷特骄傲地说道，就像在夸耀自己的功劳一样。

"还有白色……嗯，目前我们手边没有。不如，让我们去找找材料吧。"

"提取颜色的材料吗？需要什么样的材料呢？"

"什么都可以。阿靛可以从任何一样东西中提取颜色。不过，还是要遵守一定的规则，比如不能从黑色的东西中提取出白色。"

"原来如此。只能提取材料本身的颜色呀。这样的话，你们跟我来里间吧，那里堆放了很多材料，你们可以从中找一样白色的东西。"

都留带着阿靛和帕雷特来到店内的工作间。

工作间里堆放着许多闲置品，有木材、毁坏的工具、破烂的衣服和弄脏的画等，看上去就像个垃圾回收站。但帕雷特兴奋地说：

"太棒了，这么多材料！我们真的可以挑选喜欢的东西吗？"

"当然，你们可以随意挑选。不过请不要碰桌子上的盒子，那里面放的是我好不容易收集到的材料。"

"知道了。阿靛，快去找找吧。"

"嗯。"

阿靛开心地找了起来。他先环视了四周的架子，然后从摞在一起的闲置品中开始翻找。

终于，他找到了一样东西，把它拿到了都留身边。

"我想要这个……"

阿靛拿的是一个猫头鹰标本。这只猫头鹰站在树枝

上，睁着一双金色的大眼睛，伸展着两侧的翅膀。然而它本应通身雪白的羽毛现在看起来十分暗淡，还脱落了不少。

"啊，这是来店里的客人给我的东西，说是自己爷爷做的猫头鹰标本。客人觉得它看起来又脏又恐怖，所以才想要扔掉它。"

"我可以用它来提取颜色吗？"

"可以是可以。但它非常脏，用它能提取出漂亮的颜色吗？"

"可以的。"

阿靛第一次用坚定有力的声音大声回答。他取下雨衣的兜帽，露出美丽的彩虹色头发。

彩虹色头发在空中飘荡翻腾，阿靛身上的魔法气息突然强大起来。都留不由得屏住呼吸。

阿靛要怎样提取颜色呢？

阿靛在都留的注视下唱起了歌。

春天，在原野上采摘吧。

黄色油菜花、紫色紫罗兰。

夏天，在山林中寻找吧。

蓝色鸢尾花、黑色的莓果。

秋天，在大山中捡拾吧。

红色的落叶、金色的橡子。

冬天，在森林中搜索吧。

银色槲寄生、绿色的柊树。

我收集的无穷无尽的宝贝，

全都送给你吧！

我提取的众多色彩，

一定能满足你的期待！

阿靛的歌声让人联想到白色的铃兰，他一边唱，一边用双手抚摸猫头鹰。

猫头鹰在阿靛的抚摸下开始缩小，最后被吸入了小魔法师的手中。

不一会儿，阿靛手中多了一个小瓶子。

瓶子里装的是纯白的颜料。清冽的白色，看上去安静而高贵，让人联想到雪原上空翱翔的白色猫头鹰。

"这个颜色，您满意吗？"阿靛怯生生地将瓶子递了过去。

都留接过瓶子，颤抖的双手将她的兴奋和感动展露无遗。

多么美丽的颜色呀！一点儿也不逊于刚才的黑色，两种颜色放在一起相得益彰。啊，有了这两种颜色，我一定能做出完美的作品。

"谢谢你。它是最棒的颜色。"

"太好了……"

阿靛重新戴上兜帽，向都留笑了笑。都留看着他可爱的笑容，突然涌出一个念头：今后她一定会和这位色彩魔法师成为很好的朋友。

"欢迎你成为魔法街的一员。"

都留发自内心地说。

7 魔法师都留

一天，改造屋的店主都留决定出门寻找材料。

　　她用来改造的材料不只是客人们作为报酬给的物品，有时候还需要她亲自出门寻找。垃圾回收站、无人居住的房子，对都留来说都是宝地。她一边和灰尘、老鼠斗争，一边翻找自己想要的好东西。做这种事的时候，她总是异常兴奋。

　　不过，今天她要去十年屋寻宝。

　　十年屋也是一家魔法商店。客人们将自己看重却无法放在身边的东西寄存在那里，寄存期限最长为十年。在这漫长的十年里，客人们的想法可能会发生变化。有时候他们会主动舍弃自己寄存的东西，而都留就会乐滋滋地接收这些被舍弃的东西。

　　十年屋还有一位可爱的管家猫。它每次都会为都留送上香醇的咖啡和美味的蛋糕，这也是都留常去十年屋拜访的一个重要原因。

"好了，出发。希望今天也能找到我需要的东西。"

都留一边想着寻宝的事，一边为出门做准备。她背上自己的搭档——一个叫哈迪的玩偶熊背包，穿上心爱的轮滑鞋。

临出门的时候，都留不由得停下脚步，照了照门口的大镜子。

镜子里映照出一位精神饱满、活泼可爱的老婆婆。

然而，都留想起自己以前并不是这副模样。曾几何时，她眼神忧郁，总是一脸悲伤地撇着嘴。

都留难得想起了往事……

历史悠久的魔法师血统虽然一直延续至今，可是其中蕴含的魔力却越来越弱。

都留的家族便是如此。她的家族曾经出过几位伟大的魔法师，然而，随着魔力减退，天生具有魔力的孩子越来越少，家族里的人几乎和普通人没有区别了。

在这种情况下，都留出生了。

在她百日宴那天，族人为她举行了确认魔力强弱的仪式——让还是婴儿的都留将一个银制拨浪鼓握在手中。当时她一握住拨浪鼓，这个世代相传的法器就发出了无比美妙的声音。

这个孩子拥有魔力！她将来会成为魔法师！

族人喜出望外，立刻请来占卜师，为都留占卜未来的命运。

占卜师预言："这个孩子将成为操纵剪刀、针和线的魔法师。"

于是，族人将缝纫工具和材料一股脑地送给都留。哪怕是再贵的布料和纱线，他们也会不惜一切为她买来。大家殷切地期盼都留能早日成为裁缝魔法师。

然而，都留在裁缝方面毫无天赋，什么都做不好。不管练习多少遍，她都无法用剪刀笔直地裁下一块布。

"她还是个孩子呢，勤加练习就好了。"一开始，族人都没当回事。但都留渐渐长大，到了十岁、二十岁的时候，依然连最简单的裙子也不会做。

族人的期待全部落空了。

好不容易诞生了一位魔法师，她却什么都不会做，他们真想把花在这个孩子身上的时间和精力都收回来。

在族人冰冷的眼光和冷漠的话语中，都留变得非常自卑。她甚至认为自己不该降生。她总是低着头，尽量降低自己的存在感，从不敢与人对视，也不想引人注意。

就这样，都留浑浑噩噩地度过了相当漫长的一段岁月。她没有要好的朋友，也没有结婚。

等回过神来时，她才发现自己已是孑然一身。总是对着她叹气的父母、动不动就贬低她的亲戚，早已离开了人世。

都留觉得自己总算能喘口气了。

这样就很好。有一天，自己也会静静地离开这个世界。

都留决定在孤独中度过剩下的时间。

然而有一天，都留闯祸了。她不小心将要洗的衣物放在了壁炉旁边。

等她发现时，壁炉里的火已经烧到了衣物。所幸衣物是湿的，并没有酿成火灾。然而，好几件衣物都被烧出了洞，那里面有她非常喜欢的围裙和刚在二手店买的毛毯。

"怎么办？"都留非常苦恼。

她既不能无视这些烧焦的破洞，又舍不得把它们直接丢掉。

不如试着缝补一下？不，我肯定缝不好。没办法，只能把它们裁成小块，做成抹布了。这种简单的裁剪活儿，我还是能够胜任的。

都留把尘封已久的剪刀取了出来。这是族人送给她的礼物，上面被施了魔法，这么多年过去了，剪刀上连一块锈迹都没有。

要是我能够灵活使用这把剪刀的话，现在应该会过着完全不一样的生活。

都留心中涌起一阵钝痛。她拿起剪刀，却发现它变得异常沉重。不过，这一次她竟然觉得剪刀非常好用，就像一位已经等她多年的好友，在向她诉说心事。

当剪刀碰到烧坏了的围裙时，都留感觉自己内心似乎有什么东西要迸射出来。

咔嚓咔嚓！咔嚓咔嚓！

都留拿着剪刀的手自然地动了起来。不到一分钟，她就将所有衣物剪成了细碎的布片。

然而，不可思议的事并没有结束。

针和线轴突然从柜子里飞了出来，落到都留手中。她毫不犹豫地用针缝起了布片。曾经无论怎么练习都做不好的针线活儿，现在竟变得如此简单。

都留不知不觉唱起了一首歌。

松叶、荨麻、黑蔷薇，

针之守护者，来我身边。

木贼、鼠曲草、鸡眼草，

听我召唤，速速聚集。

重新编织旧日之记忆，

面向未来为他创作。

让毁坏之物重获新生，

如同谱写一首新歌。

这是属于都留的歌，是刻进她生命里的魔法之歌。

当一切归于沉寂时，都留的面前出现了一个小熊造型的背包。小熊身上到处都是补丁，虽然眼神看起来有些可怕，但整体依然非常可爱。

都留激动得流下了泪水。这是她有生以来第一次独立完成一件作品。她给这件作品取名为"哈迪"。

她非常高兴。原来做东西是一件让人这么开心的事。

与此同时，都留终于明白了自己的使命和天赋。

我并不是裁缝魔法师，就算给我再多的新布料和纱线也没有用。我是改造魔法师，我可以为破旧的东西、不被需要的东西创造出新生命，用新的形态把它们都留住——这也是我的名字"都留"所蕴含的深意。

都留看向前方，那里有一面巨大的镜子。镜子中的老婆婆看起来比实际年龄六十二岁的她更苍老。她发型普通，衣着普通，但她的眼神一扫先前的阴霾，闪耀出自信的光芒。

长久以来，她一直穿着自己不喜欢的衣服。但现在，普通的衣服已经与这种热情洋溢的眼神不相配了。

"我必须改造自己。"

都留将自己所有衣服上的纽扣——拆下，缝到自己珍藏的一件连衣裙上。

就这样，改造魔法师都留诞生了。

现在的都留每天都过得非常开心。虽然她偶尔会遇到不讲理的客人，虽然这些客人会给她留下不愉快的回忆，但是改造东西的快乐无可比拟。每次把别人不要的东西改造成功，她就感觉自己也获得了新生。

"改造使我获得新生，再也没有比这更让我快乐的生意了。如果我做的东西能得到客人的喜欢，那就更让人喜出望外了。啊，已经这个时间了，我得赶快出门了。哈迪，走！"

都留背上她的处女作——玩偶熊背包，轻快地走出了家门。

当她到达十年屋时，名叫十年屋的魔法师和他的管家猫正在门口等着她呢。

十年屋是一个高大英俊的年轻人。他穿着白色衬衫、深棕色的马甲和长裤，脖子上还围着一条漂亮的围巾。

十年屋微笑着对前来做客的都留打招呼：

"欢迎光临，都留女士。"

"你好，我又来叨扰了。我可以在店里寻找改造的材料吗？"

"当然可以。对了，前阵子您不是说要找国王、女王、马和城堡吗？"

"对呀。我已经找到了国王、马和城堡，就差女王了。"

"既然如此，您看看这个怎么样？前阵子，它的主人决定放弃它了。"

十年屋从口袋里掏出一条白色的手帕。它看起来有些年头了，整体微微泛黄，还有些破损。但手帕上绣着的红色蔷薇依然非常美丽。从针脚的细密程度来看，这一定不是机器绣的，而是人一针一线绣成的。

都留看到这条手帕，兴奋得跳了起来。

"太好了！蔷薇是花中女王，我正需要一个女王。幸亏你没有把它交给别的客人，我必须给你一个大大的回礼。你想要什么呢？"

"最近我的管家猫客来喜总说想要一张新床，它原来的床已经快坏了。能请您为它做一张舒适的小床吗？"

"包在我身上。我回到店里就动手做，做好就给你们送来。小猫咪，你想要什么材质的床呢？木头的、草的，还是布的？"

"我想要一张松软的小鱼形状的床。"

客来喜用可爱的声音回答道。它是一只毛发光亮柔软的橘黄色的猫，穿着帅气的黑色天鹅绒马甲，脖子上系着一个黑色的蝴蝶领结。

"我还想要一个小鱼造型的枕头。"

"没问题。我会给你做一张特别松软的小鱼床，再做一个小鱼枕头。那么，十年屋，我就先告辞了。"

"啊？这么快就要走了吗？您不进店里再看看吗？"

"今天就算了。我好不容易得到了一直想要的东西，现在只想赶快回到店里，立刻开始改造。答应给客来喜做的床和枕头，我做好后就给你们送来。"

都留和十年屋约好后，立刻飞奔回家。她打开自己的百宝箱，取出积攒的东西，一一摆放在桌子上。

坏掉的木马、装饰着狮子头的铜钥匙、城堡徽章，还有色彩魔法师送的黑色、白色颜料。

都留把蔷薇手帕放到这些东西旁边。

"有勇敢的骑士、坚定的国王、高大的城堡、美丽的女王。嗯，这下集齐了。对了，还有黑白颜料。总算可以开始改造了。"

都留调整了一下呼吸，将刻在脑海中的那件东西的样子认真回想了一遍。

接着，她唱起了魔法之歌……

尾声

第二天，改造屋摆出了新的商品——一套魔法棋。

棋子分为黑棋和白棋，各有八个士兵、两个骑士、两个主教、两个城堡、一个国王和一个王后。

但所有棋子的形状和造型都很特别。比如黑色国王的造型是戴着王冠的狮子，白色王后的造型则是手持蔷薇花的优雅贵妇。

每个棋子都栩栩如生，充满魅力。不知哪位客人会被它吸引而推开这扇纽扣门呢？

"真令人期待呀。是不是，哈迪？"

都留一边和搭档说着话，一边把"营业中"的牌子挂到了纽扣门上。

著作权合同登记号　图字：01-2024-0375

图书在版编目（CIP）数据

改造屋 /（日）广岛玲子著；（日）佐竹美保绘；
任兆文译. -- 北京：北京科学技术出版社，2024.
（2025 重印）. --（十年屋与魔法街的朋友们）. -- ISBN
978-7-5714-4065-7

Ⅰ . I313.85

中国国家版本馆 CIP 数据核字第 20249MG780 号

策划编辑：梁　琳　张心然
责任编辑：刘　洋
责任校对：贾　荣
封面设计：包荧莹
图文制作：天露霖文化
责任印制：吕　越
出 版 人：曾庆宇
出版发行：北京科学技术出版社
社　　址：北京西直门南大街 16 号
邮政编码：100035
电　　话：0086-10-66135495（总编室）　　0086-10-66113227（发行部）
网　　址：www.bkydw.cn
印　　刷：保定市中画美凯印刷有限公司
开　　本：889 mm × 1194 mm　1/32
字　　数：63 千字
印　　张：4.25
版　　次：2024 年 9 月第 1 版
印　　次：2025 年 5 月第 2 次印刷
ISBN 978-7-5714-4065-7

定　　价：35.00 元